MM

À ______________________________

LE TOUR DU MONDE AVEC DISNEY

DINGO ET LA GONDOLE

Une aventure en Italie

GROLIER LIMITÉE
Montréal

Conçu par The Walt Disney Company conjointement avec Nancy Hall, Inc.
Traduction française: Grolier Limitée.

ISBN 0-7172-2911-4

Imprimé aux États-Unis.

Dépôt légal 4e trimestre 1992
Bibliothèque nationale du Québec

«Comme c'est beau!» s'exclame Dingo tandis que le bateau arrive en vue de Venise.

Venise est la première escale du voyage de Mickey et Dingo en Italie. La ville ressemble à un mirage fantastique sur la mer Adriatique. On dirait que les maisons flottent sur l'eau bleue.

Mickey lève les yeux de son guide. «Regarde Dingo, voici la place Saint-Marc. Quelle superbe construction!» dit-il en indiquant le dôme d'une église. «C'est l'un des cinq dômes de la basilique Saint-Marc.»

Puis Mickey indique la tour de guet et le palais des Doges en marbre rose, l'ancienne résidence des souverains de Venise.

Mickey et Dingo sont impatients de découvrir la ville.

«Allons faire un tour en gondole!» propose Mickey.

Et les voilà installés dans un de ces fameux bateaux aux extrémités recourbées. Le gondolier leur parle de la ville tout en manœuvrant le bateau sur le Grand Canal.

«Venise n'est pas une seule île», explique le gondolier. «Il y a cent vingt petites îles reliées entre elles par des ponts et des canaux.»

Après l'excursion, Mickey et Dingo visitent un vieux magasin de jouets, Chez Antonio. Le propriétaire montre fièrement à Mickey une marionnette pendant que son fils Carlo montre à Dingo une gondole faite à la main.

«Comme elle est belle!» s'exclame Dingo. «Ça ferait un beau cadeau pour Mickey.» Mais en voyant le prix sur l'étiquette, il renonce à l'acheter.

Déçu de ne pas avoir vendu la gondole, Carlo sort du magasin et s'assoit tristement sur les marches.

Dingo, qui regrette de n'avoir pu acheter la gondole, sort à son tour et s'assoit à côté de Carlo.

«Tu aimes aider ton père au magasin?» demande Dingo à Carlo.

«Oh oui», répond Carlo. «Je voudrais venir ici tous les jours après l'école, mais mon père pense que je suis trop jeune. Et il a peut-être raison. Après tout, si j'étais un bon vendeur, vous auriez acheté la gondole.»

«J'aurais bien voulu l'acheter», dit Dingo. «Ce serait un cadeau idéal pour mon ami Mickey. Il est toujours tellement gentil pour moi. Mais chaque fois que je veux lui acheter un cadeau, ou lui offrir une petite fête, cela finit toujours mal.»

«Il faudrait que je travaille pendant toutes mes vacances pour acheter cette gondole», soupire Dingo. «Et comment pourrais-je trouver du travail alors que je ne connais personne?»

Carlo réfléchit un instant, puis son visage s'illumine.

«Je pourrais peut-être vous aider», dit-il. «Quel genre de travail cherchez-vous?»

Dingo veut être gondolier. Il rentre dans le magasin en courant pour dire à Mickey qu'il s'en va faire un tour avec Carlo. Puis ils vont près du canal où Carlo connaît un de ces hommes en pantalon noir et chemise rayée, et coiffés d'un chapeau à ruban.

«Carlo!» crie le gondolier. «Tu m'as aidé à choisir une jolie poupée pour ma petite fille. Si tu veux que je donne un travail à ton ami, je le ferai volontiers. Pouvez-vous commencer tout de suite?» demande-t-il à Dingo.

«Bien sûr que je peux!» répond Dingo.

Dingo monte dans la gondole. Il enfonce la lourde perche dans l'eau, mais il a beau pousser, le bateau ne bouge pas. «Sapristi!» s'exclame Dingo. «Ce n'est pas si facile que ça d'être gondolier.»

Il pousse alors de toutes ses forces. La gondole part en arrière et Dingo fait un vol plané en avant.

Il atterrit sur le chariot d'un marchand de crème glacée stationné sur le célèbre pont Rialto.

«Vous avez saccagé ma glace!» crie Luigi, le marchand.

En voyant Carlo courir vers Dingo, Luigi se calme. «C'est toi qui m'a montré comment assembler le train de mon fils. Je veux te remercier encore une fois», dit-il avec reconnaissance.

Carlo lui explique alors que son ami Dingo a besoin d'un travail. Luigi serre alors la main toute poisseuse de Dingo.

«Les amis de Carlo sont mes amis», dit-il. «Vous pouvez nettoyer ici et prendre ma place si vous voulez. Un après-midi de congé me fera du bien.»

Carlo part se promener et Dingo prend sa place derrière le chariot.

«C'est un travail formidable!» dit Dingo en servant son premier client.

«Cette crème glacée est drôlement bonne», pense Dingo. «Si je la vendais dans tout Venise à bord de ma gondole, je suis sûr que je ferais fortune. J'agiterais une clochette et tout le monde se précipiterait pour acheter la crème glacée de Dingo.»

Dingo est tellement plongé dans son rêve qu'il oublie de rabattre le dessus du chariot. Quand Luigi et son fils reviennent, toute la crème glacée a fondu au soleil!

«Vous avez changé ma glace en soupe!» rugit Luigi. «Vous êtes renvoyé! Si vous n'étiez pas un ami de Carlo...»

Dingo s'éloigne, la mine triste. Un homme s'approche de lui et dit: «Vous êtes un ami de Carlo? Je suis Marco, le pêcheur.»

Marco serre la main de Dingo. «Carlo est l'un de mes meilleurs amis. Tous les ans, à Noël, il m'aide à trouver des jouets pour mes nièces et mes neveux. Je peux vous trouver un travail si vous voulez. Pouvez-vous commencer dès demain matin?»

«Et comment!» dit Dingo enthousiasmé.

Le lendemain matin, Dingo se lève de bonne heure pour commencer son nouveau travail. Avant de partir, il laisse un mot à Mickey: «Je suis parti chez un ami. À ce soir.»

Et Dingo devient livreur de poisson pour Marco. La barque est chargée de cageots et Dingo livre le poisson aux magasins et aux restaurants.

Tout va très bien jusqu'à ce qu'un chat affamé se frotte contre sa jambe. Dingo trébuche et s'affale sur un cageot rempli de poissons. Quel gâchis!

Sur ces entrefaites, Carlo arrive. «Marco m'a dit que vous étiez ici», dit-il. «Mais on dirait que ça ne va pas très bien non plus ici.»

«Je ne peux rien faire de bien», gémit Dingo. «Il me semble que j'échoue dans tout ce que j'entreprends.»

«Il ne faut pas abandonner», dit Carlo. «Mon père dit que quand les choses vont mal, il faut s'obstiner encore davantage.»

«Mais maintenant vous avez l'air fatigué et vous devez avoir faim», remarque Carlo. «Je sais exactement ce qu'il vous faut pour vous remonter.»

Carlo emmène Dingo dans sa pizzeria préférée. Dingo regarde le chef jongler avec la pâte à pizza.

«Voilà quelque chose qui me plairait!» dit Dingo avec enthousiasme.

Carlo est content de voir Dingo s'intéresser à un autre travail. Il se précipite dans la cuisine pour parler au patron.

«Je te reconnais. C'est toi qui a réparé pour rien la poupée de ma petite fille», dit le patron en voyant Carlo. «Bien sûr que je donnerai du travail à ton ami.»

Et voilà Dingo affublé d'une toque et d'un tablier blancs. Il commence à lancer en l'air un gros morceau de pâte.

Pendant ce temps, Mickey s'étonne de voir que Dingo est parti sans lui. Il décide alors de passer la journée sur les îles voisines de Burano et Murano.

Il prend le coche d'eau pour Burano où il voit des femmes occupées à faire de la dentelle. À Murano, les hommes soufflent le verre dont ils font des vases, des gobelets et des figurines aux lignes extraordinaires. Mickey s'amuse beaucoup mais il voudrait bien que Dingo soit avec lui.

«Dingo a une conduite bien étrange», songe Mickey. «Je me demande ce qui ne va pas.»

Puis Mickey a une idée merveilleuse. «J'ai trouvé ce qu'il fallait pour dérider Dingo!» dit-il.

Quand Mickey revient à Venise, il va directement au magasin de jouets pour acheter un cadeau à Dingo.

«Il y a un jouet que Dingo aimait dans ce magasin», pense Mickey en se rendant chez Antonio.»

Pendant que Mickey paie, Antonio demande: «Mon fils devait rencontrer votre ami aujourd'hui. Savez-vous où ils sont allés? Il se fait tard et je commence à m'inquiéter.»

Mickey dit à Antonio qu'il ne sait rien. Ils partent alors à la recherche des deux compères.

«Voyons les endroits préférés de Carlo», dit Antonio. «C'est un garçon bien élevé. Il n'irait pas très loin sans ma permission.»

«Carlo!» dit Antonio en apercevant enfin son fils assis à une table devant le restaurant. «Je pensais bien que tu serais là.»

«Où est Dingo?» demande Mickey. Il lève les yeux et voit Dingo en train de jongler avec une pizza.

Surpris de voir Mickey, Dingo a un moment d'inattention et la pâte humide et collante s'aplatit sur son visage.

«Qu'est-ce que tu fais là?» demande Mickey d'une voix inquiète. «Où as-tu passé toute la journée?»

Dingo soupire tout en essayant de dégager la pâte à pizza de son visage. Il ne veut pas gâcher la surprise de Mickey mais il ne veut pas non plus l'inquiéter.

«Mon dieu, Mickey, dit Dingo, j'ai tout simplement essayé de gagner un peu d'argent pour t'offrir une gondole.

«Tu veux dire celle-ci?» demande Mickey en ouvrant le paquet.

«Ça par exemple! Comment as-tu réussi à l'acheter?» demande Dingo étonné. «Elle coûte des milliers de lires!»

Mickey rit tout en expliquant. «Tu aurais dû lire le guide, Dingo. L'argent n'a pas la même valeur partout. Trois milles lires, ce n'est pas beaucoup. En fait, ce n'est rien du tout.»

Mickey n'est pas le seul à vouloir savoir ce qui se passe. Antonio est étonné d'apprendre où son fils a passé les deux derniers jours.

«Tu dois bien t'y connaître en affaires pour avoir trouvé tous ces emplois pour Dingo», dit fièrement Antonio. Il passe son bras autour des épaules de son fils et dit: «Tu m'as manqué aujourd'hui, de même qu'aux clients. Il est peut-être temps que tu deviennes mon associé.»

Le lendemain, Mickey et Dingo vont au magasin. Dans la vitrine, Carlo joue avec des marionnettes pour amuser les passants. Beaucoup d'entre eux se précipitent dans le magasin pour acheter des jouets.

«J'ai occupé beaucoup d'emplois, et je n'ai même pas un cadeau à t'offrir», soupire tristement Dingo.

«C'est l'intention qui compte, Dingo», dit Mickey. «Et puis ce qui est important, c'est l'idée de bien faire et la volonté de réussir.»

Dingo sourit et hausse les épaules d'un air penaud. «C'était assez amusant d'essayer tous ces emplois. Ce qui est sûr, c'est que j'ai appris des tas de choses sur Venise!»

Le saviez-vous...?

Chaque pays a des coutumes, des lieux et des monuments qui lui sont propres. Les choses ci-après se rattachent à l'histoire que vous venez de lire. Vous les rappelez-vous?

À Venise il n'y a pas de rues mais des canaux. Il y circule toutes sortes de bateaux: des gondoles, des bateaux à moteurs, des traversiers, des bateaux à ordures, des bateaux-magasins et même des bateaux-ambulances.

Venise compte plus de 400 ponts. Le plus célèbre est peut-être le pont des Soupirs, ainsi nommé en raison des soupirs qu'y poussaient les prisonniers en route pour le tribunal où on allait les juger.

Dans la basilique Saint-Marc, sur la place Saint-Marc, on trouve des mosaïques et œuvres d'art de toute beauté. La construction de la basilique a demandé plusieurs siècles.

La pizza, originaire du sud de l'Italie, est vendue aujourd'hui dans tout le pays. La pizza napolitaine a une croûte fine et peut se plier en deux. La pizza sicilienne est très épaisse et garnie d'oignons. La pizza gênoise est garnie d'ail, d'olives noires et d'anchois.

La verrerie européenne a pris naissance à Venise au XIVe siècle. Les souffleurs de verre de l'île de Murano ont mis des années à maîtriser leur art. Ils ont la réputation d'être les meilleurs verriers du monde.

Les Italiens raffolent de crème glacée, qu'ils appellent *gelato*. Elles sont diversement parfumées et sont vendues dans la rue par des glaciers qui poussent un chariot spécial.

Les spectacles de marionnettes sont très appréciés des enfants italiens. Les marionnettes italiennes, souvent faites à la main, sont de véritables objets d'art. *Les aventures de Pinocchio*, la célèbre histoire d'une marionnette, est un conte célèbre de l'auteur italien Carlo Collodi.

La pêche est une activité importante le long des côtes italiennes. Les pêcheurs prennent des sardines, des anchois, des palourdes et des calmars. Les calmars frits et arrosés de jus de citron ou accommodés d'une sauce épicée sont un mets très estimé.

Ciao (tchao) est le mot dont se servent les Italiens pour se saluer ou se dire au revoir.
Come sta? (kom-mé STA) signifie «Comment allez-vous?».
Grazie (GRAT-zi) signifie «Merci».

BON VOYAGE!
N
O
E
S